저도, 뮤지션입니다

KB178114

저도, 뮤지션입니다

발 행 | 2024년 3월 25일
저 자 | 이가연
저자 이메일 | gayeon0811@naver.com

펴낸이 | 한건희
펴낸곳 | 주식회사 부크크
출판사등록 | 2014.07.15.(제2014-16호)
주 소 | 서울특별시 금천구 가산디지털1로 119 SK트윈타워 A동 305호
전 화 | 1670-8316
이메일 | info@bookk.co.kr

ISBN | 979-11-410-7784-6

www.bookk.co.kr
ⓒ 저도, 뮤지션입니다 2024
본 책은 저작자의 지적 재산으로서 무단 전재와 복제를 금합니다.

저도,

뮤지션입니다

이가연 소품집

머
리
말

열다섯 살의 나,
그리고 나의 든든한 지원군 엄마, 아빠, 할머니께
이 책을 바칩니다.

2024년 3월
이가연 올림

목차

1부

저도, 뮤지션입니다

내 인생 가장 뜨거웠던 순간

내 인생 가장 뜨거웠던 순간은 열여덟 살 학교 축제 무대였다. 전교생 약 천이백 명의 사람들 앞에서 노래했다. 당시 전교생 앞에 서본 경험은 중학교 때에 이어 네 번째였다. 벌써 무대에 익숙해진 건지 떨지 않고 관객의 환호를 끌어냈다. 그때 영상을 다시 보니, 저렇게 무대를 사랑하는 아이에게 노래하지 말라고 했다니 참 실용음악과 입시의 세계가 가혹하다는 생각도 들었다.

고등학생 때 나는 치열하게 혼자서 미래에 대해 고민했다. 보컬 전공은 경쟁률이 너무 높은 탓에 중학교 때부터 성악, 작곡, 뮤지컬에 걸쳐 전공 준비를 바꿔왔다. 그리하여 고등학교 3학년 무렵 드디어 가슴이 움직이는 대로 처음부터 원하던 보컬 전공으로 준비하게 되었다. 당시 결심은 고등학생에게는 거의 전부나 마찬가지인 좋은 성적과 남들이 소위 알아주는 대학을 완전히 포기하는 결정이었고 오로지 꿈을 위한 선택이었다. 무섭게도 뜨거웠던 순간이었다.

두 번째로 불타올랐던 순간은 2017년이었다. 그해에만 오십 번 공연했다. 일 년 동안 거의 매주 공연한 셈이다. 한 공연당 40분, 많게는 12곡까지 불렀다. 입시라는 산을 넘고 이제는 뮤지션으로서 한 발짝 나아갔던 순간이다. 당시엔 대부분의 공연에서 돈 한 푼 받지 못했지만 참으로 행복하고 소중한 경험을 쌓았다.

반면 2019년 내내 나는 노래와 거리가 멀었다. 흔히 '슬럼프'라고 부르는 시기가 점차 회복될 무렵에는 코로나가 터졌다. 공연이 없으니, 노래를 거의 하지 않게 되었다. 이쯤 되니 나는 무대와 공연을 사랑하는 것이지 노래를 사랑하는 것은 아닌 거 같다는 생각도 들었다. 진정 노래를 사랑하는 사람은 공연이 있든 없든 매일 스스로 좋아서 노래를 부르지 않을까 싶었다. 노래가 너무 하고 싶어 미쳐버리겠다는 순간도 없게 느껴졌나. 더 이상 노래하지 말라고 말리는 사람이 없어서 그랬던 게 아닐까, 생각한다.

어떻게 하면 순수하게 노래를 사랑했던 중고등학생 때로 돌아갈 수 있을까 고민했다. 하지만 결코 돌아갈 수 없다는 걸 받아들였다. 똑같은 열정이 아니라 색다른 열정이 앞으로 찾아올 것이다. 과거의 나를 그리워하는 것보다 다가올 새로움에 대한 호기심으로 채우기로 했다. 깊숙이 타오르는 그 뜨거움을 안다는 것만으로도 충분하다.

내 목소리

"선생님이랑 이렇게 얘기하니까 종달새가 지저귀는 것 같아요. "

그 순간 초록빛 나무가 울창한 숲에 햇살이 한 줄기 내리쬐는 모습이 그려졌다. 목소리가 좋다는 칭찬은 많이 들어봤어도 내 목소리가 새소리 같다고 표현해 주신 분은 처음이었다. 피아노 소리, 플루트 소리, 칼림바 소리보다 더 좋은 건 내 목소리다. 그중에서도 좋아하는 노래를 부를 때, 좋아하는 사람들과 이야기할 때, 사람들 앞에서 곡 소개를 할 때 내 목소리가 제일 좋다.

나의 특별한 기념일

특별히 무언가를 하지 않아도 매년 추억을 되살리게 되는 날, 5월 25일은 그런 나의 특별한 기념일이다. 2016년 이날 나는 첫 싱글을 발매했다. 이 앨범을 통해 네이버 인물 정보에도 오르고 첫 음원 수익과 저작권료도 받게 되었다. 지금도 매년 데뷔 햇수를 계산해 SNS에 올리는 등 나만의 방식으로 기념하곤 한다.

그다음 내게 특별한 날짜는 10월 19일부터 29일까지이다. 중학교 2학년 때 처음 큰 무대에 섰던 날짜부터 그다음 해 예고 입시에 합격했던 날까지 기간이다. 아직도 그 긴장과 설렘으로 가득했던 날들의 기억이 생생하다. 그래서 여전히 이 시기가 되면 묘하게 슬프고 찡한 기분이 든다. 아마 환절기로 날씨가 여름에서 가을로 급격하게 바뀌는 시기라 더 애달프게 느껴지는 듯싶다. 바람만 불어도 울컥하고 그 시절 그대로 다시 돌아간 듯한 기분이 든다. 바람을 타고 꿈으로 향하는 길에서 허우적대며 외로웠던 나를 만난다. 이미 사라져 버린 시간에 대한 그리움에도 잠겨 본다.

저도, 가수인가요?

"지금까지 이가연이었습니다. 고맙습니다."

공연이 끝나면 삼각대로 다가가 영상 촬영 종료 버튼을 누른다. 주섬주섬 휴대폰, 삼각대, 물을 챙겨 가방에 넣는다. 공연 진행을 도와준 직원에게 인사하고 문밖을 나설 땐, 가방 속에서 또 주섬주섬 이어폰을 꺼내 귀에 꽂으며 집 가는 길을 검색한다.

집으로 돌아가는 전철 안에선 촬영한 공연 영상을 확인한다. 갑자기 영상 속에 시야를 방해하는 인물이 나타나면 괜히 눈살도 찌푸려진다. 마음에 드는 곡은 적당한 길이로 잘라 유튜브에 올린다. 누구보다 빠르게 가장 먼저 '좋아요'를 누른다. 그리곤 엄마한테 공유한다. 귀여운 소녀 이모티콘이 왔다. 친구한테도 공유한다. 이번엔 하트가 왔다. 나도 하트를 보낸다.

저도, 뮤지션입니다

학생이 있으면 선생님이 된다. 내 노래를 듣는 이가 있으면 뮤지션이 된다.

저도, 뮤지션입니다.

악기 연주

여섯 살 무렵부터 피아노를 배웠다. 피아노는 건반을 누르면 바로 소리가 나서 좋다. 다음으로는 플루트를 접했다. 아홉 살 때 플루트 학원에서 리코더를 배우다 옆 방 언니들이 악기를 부는 모습에 빠져 엄마를 조르고 졸라 시작한 악기와의 인연은 끊길 듯 끊이지 않듯 지금까지 이어져 왔다.

악기 연주는 자랑하기도 좋다. 놀랍게도 칼림바는 소개팅 나가서도 카페에서 연주할 수 있다. 아직 그렇게 해본 적은 없다.

인지도

　남은 인생 동안 딱 한 가지 직업만 할 수 있다면 역시 가수가 하고 싶다. 더 구체적으로 말하자면 마스크를 쓰면 알아보는 사람이 거의 없지만 마스크를 안 쓰면 어쩌다 한 번 나를 알아보는 딱 그 정도의 인지도를 원한다.

꿈을 먹고 사는 나이

보통 꿈 크기는 나이가 들수록 줄어들기 쉽다고 한다. 하지만 나의 꿈 크기는 점점 커지고 있다. 꿈을 하나하나씩 이루어가면서 더 큰 세상을 바라보게 된다.

고등학교 3학년 때 학교에서 어느 강연을 들은 기억이 난다. 무더운 날이었고 강연이 진행된 체육관은 에어컨이 가동되지 않아 단체로 찐 고구마가 되어 더위에 하나둘 지쳐가고 있었다. 하지만 강사님은 그런 열악한 환경에도 불구하고 목이 터지도록 외치고 땀 흘리며 말씀하셨다.

그 강연자분이 누구셨는지 얼굴도 성함도 기억나지 않지만 딱 한 가지 기억에 남는다. 태양을 향해서 쏘는 화살이 해바라기를 향해 쏘는 화살보다 더 멀리 날아간다며 활시위를 힘차게 당겨 화살 쏘는 시늉을 여러

차례 하시던 모습이 여전히 맴돈다.

중학교 시절엔 예고 입학, 고등학교 시절엔 대학 실용음악과 입학만이 간절한 꿈이었다. 다른 건 생각할 겨를도 없었다. 하지만 스무 살 때부터 싱글을 발매하고 음악 활동을 시작하면서 점점 더 큰 꿈을 그리게되었다. 그리고 앞으로 사십 대, 오십 대, 아니 구십 대가 되어서도 현역에서 노래하며 더 큰 꿈을 꿀 것이다. 나이가 들고 철이 든다는 것이 현실에 부딪혀 꿈의 크기가 줄어든다는 것을 의미하지는 않는다. 오히려 어릴 때 꾸었던 꿈들을 하나씩 이루어가며 더 큰 꿈을 꿀 줄 아는 어른이 될 거다.

지나친 꿈은 헛된 기대만 품게 하고 괜히 실망만 커지진 않을까 하는 걱정도 있다. 하지만 가지고 있는 꿈이 무궁무진하면 실망할 겨를도 없다. 조금만 안타까워하고 다른 꿈을 위해 준비하면 된다.

그리고 보면 나는 꿈을 먹고 사나 보다. 쉽게 배부르지는 않을 것이다.

그저 즐기는 것

한여름에 그늘도 없는 땡볕에서 혼자 열 곡 가까이 노래하는 것이 분명 쉬운 일은 아니다. 야외 공연은 보통 실내보다 환경이 열악하고 날씨와 같은 외부 영향을 받아 변수가 생기기 쉽다.

8월의 어느 날, 선글라스나 모자 없이는 도저히 눈을 뜨기조차 어려운 장소에서 공연해야 했던 날이 있었다. 아니나 다를까, 한 노래 2절부터 도저히 어떻게 끝마쳤는지 모를 정도로 가사를 통으로 잊어버리는 사태가 발생했다. 서둘러 다음 곡을 소개하고 넘어갔지만, 그 다음 곡마저도 가사가 도무지 계속 생각나지 않았다. 너무나 더운 날씨에 정신이 혼미해질 지경이었다.

하지만 지나가던 사람들, 즉 관객들이 원하는 것은 가사를 전부 제대로 부르는 내 모습이 아니다. 세상엔 가사가 없는 곡도 있고 또 처음부터 끝까지 즉흥적으로 부를 수 있는 노래도 있다. 그저 반주가 나오는 대로 몸을 맡기고 가사가 입에서 나오는 대로 부담 없이 즐겼다면 관객들 역시 즐거웠을 것이다.

사람들은 나와 음악이 만나 즐거운 모습을 보기 위해 그 자리에서 나와 함께한다. 아무리 당황스럽거나 힘겹더라도 반주 위에 내 목소리가 얹어지고 이를 지켜보는 관객들이 있다면, 나는 음악을 나누고 즐길 수 있는 힘이 생긴다. 정답은 이미 내 안에 있다.

관객을 사로잡는 비결이 있나요

음원 사이트에 이런 댓글이 달린 적이 있다. 내 노래를 들으면 눈물이 한 방울 떨어질 것 같고, 마음속으로만 좋아하던 사람이 문득 생각나고, 한산한 거리를 걸어가는 것 같이 마치 노래 속에 있는 것만 같다고 했다. 똑같은 무대를 감상하면서도 누군가는 그리운 첫사랑을 떠올릴 것이고 누군가는 점심때 먹은 김밥이 체한 것 같아 더부룩한 마음이 들 수도 있다. 모든 사람을 똑같이 몰입할 수 있게 만들 수 있는 가수는 아무도 없다.

모두를 끌어당길 수 있는 능력이 중요한 것이 아니라 그저 나이기만 하면 된다. 어떻게든 나만의 색깔로 독특하게 노래를 부르기 위해, 다른 가수들과 달라지기 위해 애써야 할 필요도 없다. 온전히 나 자신을 알고 표현할 때 이를 감상하는 사람들도 편안하다. 내가 다

른 사람이 되려 하고 내 모습에 만족하지 못하면 듣는
이들도 어딘가 어색하고 불편하다.

노래를 사랑하고 부르는 만큼 관객들도 안다.

절절한 사랑 고백

지금이라도 다른 걸 시작하기에 늦지 않았다고도 한다. 하지만 글쎄, 이번 생은 무대의 맛을 알아버렸다. 그 어떤 직업도 무대에 서는 직업에서 오는 만족감을 채워줄 수 없다. 강연하든 연기하든 노래하든 나는 무대에 서는 일을 가장 사랑한다. 막연한 호기심에서 무수한 경험과 노력이 쌓여 영원히 함께할 사랑으로 자리 잡았다.

더운 여름날 뛰어본 적이 있는가. 조금만 힘차게 달려도 숨이 가쁘고 목구멍도 타들어 가게 아프다. 나에게 무대에 선다는 건 이때 양동이로 물을 한 바가지 끼얹은 느낌이다. 그저 세수하는 느낌이 아니라 이제야 살겠다는 안도와 희열이다. 무대는 나를 뛰게 한다. 머리, 심장, 손, 다리, 온 근육이 때로는 감출 수 없는 흥분과 설렘에 사로잡혀 움직인다.

2부

그건 선생님도 모르겠네

느낌 아닌 느낌

"선생님, 이 노래는 기쁜 느낌이에요, 슬픈 느낌이에요?"

"음... 여기서 말하는 게 뭐냐면... 혹시 시험 공부 열심히 해본 적 있어? 시험 기간에 얼른 시험 빨리 끝났으면 좋겠고 그렇지? 공부할 때 막 답답하고 힘들었던 것처럼 이 노래에서도 지금 주인공이 힘들다고 이야기하고 있어. 하지만 시험은 곧 끝난대! 그래서 노래 마지막 부분에서는 시험 끝나는 날을 막 떠올리는 거야. 내일이면 놀 수 있다! 어때?"

"저 시험 공부 안 하는데요."

아는 것이 낫다

'또 속사포로 이야기했네. 목 아프다.'

레슨을 처음 시작했을 땐 레슨 한 번만 끝나도 목이 아팠다. 아이, 성인 레슨 할 것 없이 모두 녹초가 되었다. 오십 분 동안 집중해서 긴장한 상태로 말하였으니, 목뿐만 아니라 몸 근육 전체에 무리였다.

레슨만 시작하면 평소 말하는 목소리보다 한층 높은 톤의 소리를 사용했다. 게다가 긴장하면 말이 빨라진다. 중간중간 평소처럼 말하자고 다짐해도 좀처럼 바뀌지 않았다. 도무지 뚜렷한 해결책을 찾을 수 없었다.

그런데 육 개월쯤 지나자 특별한 노력 없이 저절로 해결되었다. 학생과 정서적으로 가까워지니 자연스레 목소리 톤이 지나치게 높아지지 않았다.

어차피 바꿀 수가 없다면 차라리 잘못된 걸 모르는 것이 나을까. 그건 아니다. 설령 '나 또 잘못된 걸 알면서 계속 이렇게 말하네. 정말 힘들군'이라고 생각하더라도 아는 것이 나았다.

힌트

'이번 주에 이 노래하면 재미있어할까? 느린 곡이라 지루해할 수도 있으려나.'

'어렵다'보다 더 슬픈 피드백은 '재미없음'이다. 물론 난이도가 높으면 재미가 없어질 확률도 높다. 적절한 난이도에 맞게 아이가 좋아할 만한 곡을 준비한다. 하지만 아무리 그동안 재밌게 배웠던 노래를 바탕으로 곡을 준비해도 반응이 뜨뜻미지근할 수도 있다. 예를 들어 아이가 뮤지컬 노래를 좋아한다고 해서 모든 뮤지컬 노래를 좋아하는 것은 아니기 때문이다. 하지만 이러한 걱정과 기대감이 매주 레슨에 긴장감을 더해준다. 다음과 같은 힌트만으로도 환영이다.

"아이유 노래 좋아요!"

지루한가

'오늘 노래가 지루한가. 다음에는 더 신나는 노래 해야 하나. 그냥 이 노래 빨리 끝내고 지난 시간에 한 노래 복습할까.'

"오늘 많이 피곤해?"

"학교에서 5교시 체육 했어요."

응급처방

레슨 시작 삼 분 전까지 울다가 초인종을 누른 적도 있다. 한번이 아니다. 난 꽤나 자주 운다. 하지만 아무리 울어도 이 아이 레슨만은 잘할 수 있다는 사실을 알고 집을 나서곤 했다. 그만큼 그 수업에 대한 믿음이 있었기 때문이다.

피치 못하게 울다가 레슨을 들어가야 한다면 나만의 응급 처방약이 있다. 유튜브를 켜서 짧은 웃긴 영상을 몰아 보는 것이다. 울다가도 이십 초 안에 웃을 수 있다. 당장 눈물만 그치게 할 수만 있다면 이보다 효과가 더 빠른 처방이 없다.

다만 레슨 끝나고 집에 돌아갈 때면 또다시 눈물이 난다. 하지만 그런데도 레슨을 성공적으로 마쳤다는 뿌듯함에 발걸음은 한결 가볍다. 온통 부정적인 생각이 나를 사로잡기 전에 오히려 레슨이 내게 희망과 긍정의 메시지를 던져준 셈이다.

너는 누군가의 친절한 선생님이라고. 보잘것없고 만만해서 누군가에게 심한 말과 행동을 당해도 싼 사람이 아니라, 재미있고 상냥한 가연샘.

내 발음이 그렇게

"B (비) 파트부터 다시 해보자."

"피카츄요?"

그래도 좋아

"선생님 애타는 게 뭐예요?"

"좋아하는 남자애가 있는데 그 친구가 카톡 답장이 빨리 안 오는 거야. 그럼 무슨 기분이 들어?"

"그래도 좋아요."

그건 선생님도 모르겠네

　모르는 걸 인정하는 일은 쉽지 않다. 게다가 어린 학생 앞에서 모르는 것을 모른다고 인정하기는 더욱 어렵다. 모른다고 인정하면 선생님이 대단하지 않게 보이지 않을까 걱정한 적도 있다. 하지만 선생님도 모르는 것이 있고 늘 더 배우기 위해 노력한다는 것을 보여주는 것도 좋지 않을까.

얼룩말

"좋아하는 동물 있어?"

"저 얼룩말이요."

'오, 특이하네.'

"어? 그러고 보니까 피아노도 얼룩말이네요."

마법 같은 세상

"이 노래는 무슨 내용이에요?"
아이들에게 '사랑'을 설명하는 일은 참 어렵다.

"음... 이 가사는 엄청 행복한 세상을 말하는 거야.
예를 들면 음.. 하츄핑 좋아하지? 지금 이 가사에 나오
는 '새로운 세상'에는 하츄핑으로 가득 차 있어. 이 세
상으로 들어가는 문 앞에는 하츄핑이 막 손 흔들며 인
사하고 안으로 들어가면 온통 하츄핑로 가득해. 어때?
생각만 해도 신기하고 신나지? 이런 마법 같은 세상을
딱 처음 들어갔을 때 느낌을 상상해 보면서 불러보자."

쏘 스윗

"선생님 이거 하나만 먹어도 돼?"

아이는 얼른 부엌에 달려가서 젓가락을 가져온다.
"고마워. 맛있다."

"하나만 아니라 많이 먹어도 돼요."

이런, 들켰네

"오늘 첫 수업인데 너무 잘 따라와 주셨어요. "
"에이, 거짓말. 아까 선생님 동공 지진 나신 거 다 봤어요!"

미안해요.

너와 나의 거리

"이 노래는 제목이 '나뭇잎'인 것처럼 쓸쓸한 가을 같은 느낌이야."

"이상해요."

"이 노래 들으면 약간 슬픈 느낌이 느껴지지 않아?"

"전혀 안 그런데요."

천사

"선생님, 천사도 사람이에요?"
"천사는 '명'이에요, '마리'예요?"
"선생님, 천사 본 적 있어요?"

선생님은 아직 본 적 없어.

좋은 선생님

그 어떤 레슨보다 초등학생 아이들의 노래를 가르치는 일이 가장 즐겁다. 아이들도 나를 좋아해 주고 나도 아이들을 무척 사랑한다. 아이들이 어려 나중에 커서도 나를 기억해 줄지는 모르겠다. 마음 한편 아이들이 나를 꼭 기억하고 함께 노래했던 시간을 추억해 줬으면 좋겠다.

마음이 따뜻한 선생님, 학생을 돈으로 보지 않는 선생님, 실력과 인성을 겸한 선생님 등 좋은 선생님의 기준은 많다. 그중에서도 학생들의 마음속에 오래오래 남는 선생님이 되고 싶다.

애기

"이거 애기들도 하는 거야."

"…"

"그럼 선생님한테 저도 애기예요?"

3부

십 년 전 오늘

왜요?

"피아노 건반은 88개로 되어있어."
"왜요?"

'왜'라는 질문을 던지기에 너무 어른이 되어버렸다.

내가 저 나이 땐

남매를 레슨 하던 중 오빠가 기침을 연거푸 하자 여동생이 슬며시 다가왔다.

"괜찮아? 내 목도리 줄까?"

세 살 어린 남동생과 지지고 볶고 싸운 기억이 가득한 나는 신선한 충격을 받았다. 나는 과연 그런 어린이였을까. 과연 내 것을 기꺼이 남에게, 그것도 동생에게 주는 배려심 있는 아이였을까. 아니면 어떻게든 자기것을 사수하는 욕심 많은 어린이였을까.

이런 생각을 하면서 집에 돌아와 엄마에게 이야기하니 엄마는 내가 길가의 나무가 춥겠다고 덮어주려고 하던 아이였다고 했다. 그러고 보니 기억이 난다. 초등학교 4학년 무렵 집 앞 나무에 이름을 붙여주고 사람

들이 없을 때 끌어안기도 했다. 그런데 어느 날 보니
가지가 싹둑 예고도 없이 잘려져 있어서 속상했다.

 아이들을 가르치다 보면 그런 어린 시절 기억이 하
나둘 떠오를 때가 있다. 나도 과연 그랬을까. 아마 그
랬을 것이다.

우리 오빠가 제일 좋아

"이 노래가 좋아? 저 노래가 좋아?"

"…"

"어느 게 더 좋아?"

"…"

"저는 오빠를 좋아해요!"

나도 동생 있다. 분명 있었다.

내 노래 어떤가요

입시 준비할 때는 늘 평가의 연속이었다. 그러나 뮤지션으로 활동한 이후로는 남에게 보컬적인 조언이나 평가받을 기회가 거의 없었다. 때로는 내 학력과 경력을 전부 모르는 상태로 오로지 노래로만 실력을 평가받고 싶을 때도 있다. 하지만 동시에 무척 두려운 일이다.

역설적으로 이것이 두렵지 않다면 조금도 발전할 수 없다. 고민하는 사람만이 앞으로 나아갈 수 있다.

십 년 전 오늘

십 년 전 집에서 혼자 노래를 녹음한 CD를 찾았다. 당시엔 음악 하는 것에 대한 부모님 반대가 심해서 집에 아무도 없는 틈을 타 노트북을 이용해 조용히 녹음했다. 이제는 CD 속 나처럼 노래하는 중학생에게 피드백을 해줄 수 있을 정도로 성장했다. 당시 '외국 살다왔냐, 가요 부를 때 발음 연습이 필요하다'라는 말을 자주 듣곤 했는데 그땐 잘 이해가 되지 않던 말도 이젠 이유를 알겠다. 녹음 파일 속 숨소리 하나하나에 당시 감정이 담겨 마치 타임캡슐을 꺼낸 듯한 느낌이었다. 어떤 노래를 좋아했는지 어떤 스타일을 즐겨 듣고 불렀는지 설명하지 않아도 느낄 수 있었다.

학창 시절 몇몇 실용음악 학원에서 보컬 전공은 못한다고 취미로 하라는 말을 들었다. 숨죽여 울었던 시간이 여전히 선명하다. 그런 기억 때문에 당시 노래 실력이 매우 부족한 줄 알았다. 하지만 CD 속 노래를 들어보니 목소리도 예쁘고 듣기 좋아서 놀랐다. 마치 아무것도 칠해지지 않은 흰 도화지 같았다.

어떻게 이렇게 녹음해 둘 생각을 다 했을까. 십 년 뒤에 들으면 어떤 느낌이 들지 상상이라도 되었을까. 이렇게 예쁜 목소리를 가지고 있다는 걸 어찌 스스로는 몰랐을까.

이리저리 치이며 마음 졸이던 중학생의 나를 안아주고 싶다. 보컬 트레이너로서, 언니로서, 음악하고 있는 선배로서, 그리고 나로서 그때의 내가 대견하다.

나 때도 말이야

"선생님 학교에서 컴퓨터 잘 안되면 어떻게 하는 줄 알아요?"

"컴퓨터?"

"될 때까지 마구 때리면 돼요."

달라진 나

맑고 깨끗한 목소리는 스무 살 때 내 노래의 특색이다. 그러나 사람 목소리도 바뀐다. 그때의 나도 여전히 내 안에 남아 있지만 왠지 모를 아쉬움이 있다. 하지만 과거와 달라진 내 모습에 속상해할 필요도 제발 돌아와 달라며 애타게 울부짖을 필요도 없다. 대신 전보다 중후한 중저음의 소리를 얻기도 했다. 노래를 부르는 나는 슬픈데 정작 듣는 사람은 마냥 예쁜 목소리로만 듣는 일도 이젠 없다. 본연의 모습을 잃은 것이 아니라 새로운 색깔이 입혀졌을 뿐이다.

세대 차이

"선생님이 이따가 카톡으로 MP3 파일 보내줄게."

"MP3가 뭐예요?"

인생이 탄탄대로라면

점집만 가면 나는 29, 30살부터는 돈도 많이 벌고 잘될 거라고 했다. 그 말을 처음 들은 것도 벌써 거의 6년 전이다. 엄마가 말했다. 대체 뭐로!

또한 나는 말로 먹고사는 직업을 해야 한다고 한다. 가수도, 보컬 트레이너도, 칼림바 선생님도, 한국어 강사도 모두 말로 하는 직업이니 맞는 말이다. 주변 지인들에게 타로 상담도 해주고 있다.

"앞으로 탄탄대로밖에 안 남았어! 올해만 버텨봐."
그 탄탄대로에 갑자기 멀리서 달려오는 당나귀가 있을지도 모른다. 나를 놀라게 할 무언가를 기대해 본다. 잘 포장된 도로를 마라톤 경주하듯 달리는 것보다 머리에 새 똥을 맞더라도 한바탕 웃는 길이 되었으면 좋겠다.

성공과 실패의 기준

중학교 3학년 때 예고에 몹시 가고 싶어 했다. 지금껏 살면서 느꼈던 감정 중에 가장 강렬했다. 하지만 예고를 다닌 지 며칠 되지 않아 전학을 가겠다고 선언했고 결국 한 달 뒤 전학을 갔다. 그토록 원하던 학교였는데 왜 며칠 만에 그만두겠다고 했을까.

원인은 과에 있었다. 실용음악과를 지망했지만, 연기예술과가 더 경쟁률이 낮고 실기 전형이 비슷하다는 이유로 주위 사람들이 과를 바꿔 지원하길 권유했다. 하지만 그때까지 배우의 꿈을 꿔본 적도 없고 나의 꿈은 언제나 싱어송라이터였다. 그리하여 그토록 원하던 학교를 한 달 밖에 다니지 못했다. 그마저도 즐기지 못하고 매일매일 조만간 그만두겠다는 마음일 뿐이었다.

입시 결과는 성공이었지만 정작 나는 지금껏 인생에

서 가장 기억에 남는 실패 경험으로 생각한다. 대학 실용음악과에 입학하기 전까지 고등학교 3년 내내 연기과를 지원했던 중학교 때 결정을 후회했다. 나 자신도 바보 같고 주위 사람들도 원망스러웠다.

성공은 내 기준이다. 내가 행복하지 않으면 성공이라고 볼 수 없다.

고집은 필요할까

고등학교 3학년 때 본격적으로 보컬 입시를 시작했다. 그전까지 성악, 클래식 작곡, 실용음악 작곡, 뮤지컬 등 음악에 관련된 각종 전공 준비를 짧게 몇 달씩 준비하곤 했다. 하지만 돌고 돌아 결론은 역시 노래가 제일 하고 싶었다. 당시 가장 친했던 친구가 한 말이 아직도 잊히지 않는다.

"가연아, 다른 얘기할 때보다 노래 부르는 얘기할 때의 네가 가장 행복해 보여."

그 말을 듣고 펑펑 눈물을 쏟았다. 때론 무사히 실용음악과를 졸업하였기 때문에 고등학교 때 고집부린 것이 잘한 일로 느껴지는 것은 아닐까, 생각도 했다. 그렇지만 예고를 박차고 나온 경험 때문에라도 대학만큼은 같은 실수를 반복하고 싶지 않았다. 무엇보다 중요한 것은 내가 앞으로 무엇을 하고 싶은지였다.

고집은 필요하다. 하지만 나 자신을 먼저 알아야 한다. 그래야 고집이 아닌 확신과 신념이 된다.

10년 전 나에게 한 마디

10년 전 나에게 한 마디를 해줄 수 있다면 너무 힘들면 자퇴해도 된다고 해주고 싶었다. 그러나 다시 생각해 보니 당시 자퇴했다면 인생이 완전히 뒤바뀌어버렸을지도 모른다. 실화를 바탕으로 쓴 '너란 사람' 'Rest In Peace' 등 자작곡 역시 만나지 못한다. 물론 그 실화와는 별개로 여전히 작사 작곡에 입문하게 되었을 수도 있다. 하지만 지금의 자작곡들과는 영원한 안녕이다.

문득 그 곡들을 쓰게 해주었다는 것 말고는 그 당시 학교생활에서 나에게 남겨진 좋은 기억이 없다는 생각도 들었다. 그 시간에 차라리 그토록 하고 싶어 하던 연습을 했더라면 나의 20대가 좀 더 꿈꾸던 바에 가까워지지 않았을까 생각도 했다.

타임머신을 타고 돌아가 자퇴를 할 수 있다면 과연
할 것인가. 내겐 그럴 배짱이 없을 거란 거 알지만 있
다 치고, 할 것인가 말 것인가.

그럼 적어도 나의 열다섯, 열여섯 살은 덜 힘들 것이
다. 인생 최악의 해를 겪을 필요는 없어진다.

아직도 그 답을 모르겠다. 어쩌면 10년 뒤 내가 지
금의 나에게도 비슷한 말이 하고 싶을지 모른다. 너무
힘들면 그만둬도 된다고. 생각보다 큰일이 일어나지 않
는다고.

지금의 나

좋아하는 것, 하고 싶은 것에 눈을 뜬 나
구체적인 목표가 생긴 나
좋아하는 것이 아니라 잘하는 것을 해야 하나 혼란스
러웠던 나
혼자 고민만 많던 나
가진 것을 포기하고 꿈과 목표를 향해 직진한 나
가장 열심히 꿈을 위해 달린 나
어려움에도 꿈을 놓지 않은 나
내가 진정 좋아하는 것이 맞는지 의문을 품은 나
꿈은 가슴에 품고 목표를 이루기 위해 노력하는 나

이 모든 내가 모여서 지금의 나를 이룬다.

4부

나의 요즘은

네가 틀리고 내가 맞아

"이거 악보가 틀린 거 같은데요."

"저는 아무리 들어도 그 음은 아닌 거 같은데요."

"저도 절대음감이에요."

"(선생님이 틀린 거 아니에요?)"

새로운 세상

　나에겐 음악과 외국어 외에도 이색 자격증이 제법 있다. 특히 타로 수료증이 가장 기억에 남는다. 미래를 알고 싶어하는 마음은 누구에게나 있다. 특히 상상도 못 했던 일들이 연거푸 일어나고 '도대체 나에게 왜 이런 일들이 일어나는가?' 생각에 빠져본 사람이라면 더욱 그렇다.

　타로는 그런 내게 많은 영감을 주었다. 카드 결과가 부정적이더라도 낙담하지 않는다. 조언 카드를 뽑아보며 어떻게 해야 이 삶의 파도를 조금이라도 더 좋게 만들 수 있을지, 즐길 수 있을지에 초점을 맞춘다. 나아갈 방향에 집중한다. 그렇게 나는 타로라는 새로운 세상에도 빠져들게 되었다.

악플

　악플은 관심이 아니다. 유튜브 댓글이 너무 없어서 악플이라도 좋으니 귀여운 악플이라도 달렸으면 좋겠다고 생각했다. 그렇다면 그건 악플이 아니다. 내가 원하는 건 악플이 아니라 관심이다.

제 마음을 받아주세요

"물 챙겨 가세요"

"아 괜찮아요!"

"문 앞까지 데려다드릴게요."

"진짜 괜찮아요!"

조심히 가세요.

대청소

"와, 집이 호텔 같아요."
이 직업은 다양한 방면으로 보람을 느끼게 한다.

뷔페 같은 세상

    최대한 많은 악기로 원하는 곡을 연주하는 사람이
되고 싶다. 이 넓은 뷔페와 같은 세상을 한 바퀴, 두
바퀴 천천히 걸으며 다양하게 맛보고 싶다.

일반인 모델

남자친구는 없지만 어떻게 하면 벚꽃놀이를 즐길 수 있을까 고민하다가 사진 촬영을 다니기 시작했었다. 첫 촬영은 2017년 3월 중순, 날씨가 추워 덜덜 떨었던 기억이 난다. 선유도 공원, 북촌한옥마을, 홍대, 봉은사, 어린이대공원, 한강 등 서울 시내 곳곳을 사진사님과 돌아다녔다. 야외 촬영이 어려운 겨울에는 전시회나 카페도 찾았다.

그렇게 한번 촬영을 갈 때마다 삼백 장 이상 사진을 찍었다. 사진은 SNS에 올릴 뿐만 아니라 인화해서 앨범에 꽂아두기도 하고 프로필 사진도 바꾸고 앨범 재킷 사진으로도 활용했다.

시작은 남자친구가 없어서였다.

공연

공연을 안 가서 후회한 적은 많아도
가서 후회한 적은 별로 없다.

속마음이 주르르

한국어 수업을 하다 보면 나도 모르게 내 속마음을 발견하게 되는 때가 있다. '갖고 싶다'라는 단어의 예시 문장으로 '아이패드 갖고 싶어요.'라고 했더니 학생이 방금 문장 진짜냐고 물어왔다. 보통 단어나 문법을 설명하면서 예시 문장을 들 때 고민하지 않고 생각나는 대로 타자를 입력하게 된다. 그렇기에 무의식에 숨겨져 있던 나의 욕망이 부끄러울 정도로 새어 나올 때가 있다. '동생이 참 자랑스러워요.' '지금 완전 피곤해요.'와 같은 가족, 인간관계 및 최근 심리 상태가 민낯으로 드러나는 기분이다. 심리적으로 가깝고 편안한 수강생과의 수업에서는 더욱 드러난다.

'어제 잘생긴 사람 봤어요.'

너의 마음은?

수업 경험이 쌓이다 보니 이 수업이 끝난 뒤 다시 만날 수 있을지 그 분위기도 어느 정도 읽을 수 있다. 다시 연락이 오지 않을 것 같은 학생은 대부분 예상했던 대로 소식이 없다. 그 편이 나로서도 기대하지 않고 마음이 편하다. 하지만 화기애애한 수업을 마치고도 다시 수업 신청이 없는 학생도 있다.

다시 만날 수 있을 거라고 기대했던 학생으로부터 소식이 없을 때는 신경 쓰지 않으려 해도 마음이 쓰인다. 마치 소개팅 후 애프터를 기다리는 듯한 기분이다. 그저 예의를 지킨 것일까? 아니면 진심으로 나와의 시간이 즐거웠을까.

타인의 마음을 완벽히 읽을 수는 없지만 눈치란 이래서 필요한 듯싶다. 가끔 수업을 듣고 싶지만, 이러이

러한 사정으로 인해 지금은 수업을 들을 수 없다고 이야기해 주면 참으로 고맙다. 속마음을 알 수 없는 만큼 사소한 이야기라도 해주면 기분이 좋다. 그렇지만 그런 사람은 소수다. 역시 때론 타인의 마음을 읽고 싶다.

5부

나 아직 안 죽었다

미루기 연습

생각하는 시간도 일하는 시간이다. 쉬면서도 할 일을 생각한다면 그건 쉬는 게 아니다. 아쉽게도 뇌에는 전원 버튼이 없다. 그럴 땐 자야 한다.

내일 해도 괜찮아.

나 아직 안 죽었다

첫 유럽 여행으로 혼자 스페인 바르셀로나에 갔을 때였다. 보조배터리를 연결한 채 길을 걷던 중 갑작스레 핸드폰이 꺼졌다. 보조배터리의 배터리도 없었다. 당장 숙소로 돌아가는 길도 모르고 기차 시간도 얼마 남지 않은 상황이었다. 급한 마음에 지나가는 아주머니를 붙잡고 다짜고짜 핸드폰이 죽었다고 어떡하냐며 근처에 카페가 있는지 아느냐고 물었다. 그랬더니 아주머니가 흥분한 나를 진정시키며 차분히 말씀하셨다. 핸드폰은 죽었지만 너는 아니잖니. 너는 괜찮잖니.

그래, 나 아직 안 죽었다.

밸런타인 산타

밸런타인데이에 즐거웠던 기억이 없다. 아니 없다고 생각했다. 그저 남자가 여자에게 주는 날인지 여자가 남자에게 주는 날인지 매년 헷갈리는 날이다. 이 글을 쓰고 있는 지금까지 밸런타인데이에 남자친구가 있던 적이 한 번도 없었으니 좋은 추억이 없었다 해도 이상하지 않다.

여고를 나왔지만, 중학교는 남녀공학이었다. 그 시절 친구들은 서로 같은 동네에 살았다. 중학교 3학년 때 집마다 돌아다니며 남자인 친구들에게 초콜릿 배달을 했다. 그중 누구 한 명에게도 초콜릿을 받지는 않았지만, 그저 친구들에게 주는 것만으로 기분이 좋았나 보다. 짝사랑하던 남학생에게는 가장 비싼 초콜릿을 주었다.

열 명이 넘는 친구들에게 주었는데 그날 받은 건 아빠가 저녁때 사 온 초콜릿 상자 하나뿐이었다. 어린 마음에 속상했다. 그렇지만 십 년이 지난 지금도 여전히 받는 것보다 주는 것에 훨씬 익숙하다. 누군가를 생각하며 편지를 쓰고 선물을 준비하는 것만으로도 내 하루를 장식해 준다.

그 시절 나는 밸런타인 산타였다.

실패는 반드시 교훈을 주는가

기획사 오디션 이메일을 120군데 이상 보냈다는 경험담을 이야기하였을 때 이런 질문을 받은 적이 있다.

"혹시 그 실패 경험을 통해 어떤 점을 깨달았나요?"

갑자기 말문이 막혔다. '어떤 교훈을 얻었지?' 아무 생각이 나지 않았다. 기획사에서는 불합격자에게는 연락을 주지 않는다. 아무리 작은 기획사라도 마찬가지다. 2차 면접을 보게 되어도 준비한 노래를 부르고 질문을 받을 뿐 피드백을 얻기는 어렵다. 외부에서 주는 피드백이 없다면 나 스스로는 무언가 느꼈을까. 역시 기획사 이메일은 잘 읽지 않는다는 포기하는 마음만 생기진 않았나.

눈에 보이는 성장과 성과가 없었어도 좋다. 그 경험

들은 경험대로 두기로 했다.

무모함이란

'무모하다'의 기준은 무엇일까. 우리는 과연 누군가의 도전에 무모하다고 말할 자격이 있을까.

사전에서 '무모하다'는 신중성이 없다는 의미로 풀이된다. 유의어로는 '어리석다' '터무니없다'라는 단어가 있다. 이쯤에서 생각하게 된다. 과연 우리는 누군가에게 '그건 무모한 도전이야'라고 말할 자격이 있을까.

실용음악과 보컬 전공을 지원한다고 했을 때, 많은 사람이 노래는 그냥 취미로 하라는 이야기를 꺼냈다. 그들이 보기에 300대1, 500대1의 엄청난 경쟁률을 뚫겠다는 것이 무모한 도전을 보였을 거다. 충분히 성적으로 대학에 갈 수 있는데 어리석은 일로 보이는 것은 당연했다. 하지만 '그건 불가능할 것이다'라고 가능성을 차단해 버리는 것이 더욱 무모하다.

겸손

　한국 사회에서는 겸손이 미덕이라고 한다. "노래 잘하시겠네요."라는 말에 사람들이 예상하는 반응은 "에이, 아니에요."라는 말인 것만 같다.

　이미 가수로서 활동하고 있는 내가, 노래를 잘하냐는 물음에 못한다고 대답한다면 그것은 겸손이 아니라 자신감 결여다. 하지만 그렇다고 "네, 잘해요."라고 대답하는 것도 영 마음이 편하지 않다. 그래서 이제부터는 "네, 하지만 노래 잘하는 사람들 정말 많아요."라는 대답을 하기로 하였다. 그것이 진정한 겸손이 아닐까.

열정

나는 매사에 열정적인 사람은 아니다. 하지만 내가 열정적인 사람으로 비친다는 건 열정이 있는 일을 가지고 있기 때문이다.

나는 열정적인 사람은 못 된다. 내가 열정을 쏟고 싶은 일에 온 힘을 다할 뿐이다. 그게 남들이 보기에 열정적인 사람인가.

볼륨을 높여줘

　스피커는 평소엔 조용하지만, 기회가 주어지면 자신의 역량을 마음껏 발휘하여 소리를 뽐낸다. 이런 점에서 나는 스피커와 닮아있다.

　내가 가진 장점과 특기를 표현하는 것에 익숙하다. 그도 그럴 것이 나를 드러내지 않고 있으면 아무도 알아주지 않는 고독한 길을 가고 있다. 중요한 순간순간 용기 내어 소리 내지 않았다면 지금의 나는 없다. 앞으로도 스피커처럼 필요할 때면 본연의 역할을 마구 뽐내는 사람으로 살겠다.

정말 한 일이 없을까

기대치가 너무 높다는 말을 들었다. 어느 순간 '내가 정말 기대치가 높아서 나 스스로 불행하게 만드는구나' 하고 인정하게 되었다.

특히 음악인은 꿈을 이루기 위한 명확한 방법이 없다. 의대 가는 법, 토익 900점 넘는 법, 대기업 면접 합격하는 방법 등은 어느 정도 방법이 제시되어 있다. 반면에 내가 가고자 하는 길은 그저 닥치는 대로 뭐든지 다 해야 한다는 각오로 임하고 있다.

'요즘 아무것도 안 하고 있어요'라는 건 생계를 유지할 만큼 돈을 벌고 있지는 않다는 뜻이 아니었나. 열심히 하는 노력을 스스로 낮춘 것은 아닌가. 나조차도 인정해 주지 않는 노력이라니 참으로 슬프다.

과로인 듯 과로 아닌 나

대체 어디까지가 과로이고 어디까지가 적절한 양의
스트레스일까. 나는 전혀 과로한 게 없다고 했지만, 의
사 선생님께서는 바이러스 감염이 아니라 과로, 스트레
스 탓이라고 하셨다. '나는 절대 과로하는 게 아니다'
라고 자신한 것이 오히려 과로함을 증명한 건 아닐까.
마치 절대 꼰대가 아니라고 하는 사람이 꼰대인 것처
럼 말이다. 내 몸이 내게 말을 할 수 있다면 다음과 같
을 것이다. "이봐, 주인. 내가 너 일부러 앓아눕게 만든
거야. 잠이나 자."

최고의 행운

　내 인생 최고의 행운은 지금 내가 죽지 않고 살아있는 것이다. 난 참 운이 좋다.

번아웃 노란불

정신없이 무언가를 하다가 문득 노란 불을 감지했다. 이럴 땐 완전히 지치기 전에 예방이 답이다. 그럼 어떻게 해야 할까. 전시회를 보러 갈까. 책을 읽을까. 목욕할까. 아니다. 감지한 것만으로도 충분하다.

자연스레

한 해의 목표를 일 년 내내 기억해야 한다고 생각했던 적도 있다. 해가 바뀔 때마다 이루고자 하는 목표를 딱 두 가지만 정하고 나머지는 선택사항이라고 했다. 그래야 그 목표에 온전히 집중할 수 있다고 생각했다. 그런데 이 방법에 치명적인 단점이 있었으니 우리네 인생은 계획과 똑같이 흘러가지 않는다. 올해부터는 다르게 정했다. 한 해 동안 이루고 싶은 것들을 스무 개 가까이 노트에 적어두었다. 그리곤 이따금 꺼내보면서 이룬 것을 체크했다. 안간힘을 쓰고 이루고자 하지 않고 자연스레 흘러가는 일상에 녹였다. 그랬더니 나도 모르게 목표를 이룬 나 자신을 발견하는 것이 재미있었다.

실패 경험

생각나는 실패가 많다는 것에 오히려 감사하다. 내겐 모든 도전이 성공이었다. 마음먹은 것에 그치지 않고 행동으로 옮겼다는 점에서 내겐 성공이다.

액땜한다고 생각해

지금껏 전례 없던 기회라 생각하고 연초부터 몇 달 동안 모든 시간과 노력을 다했으나 결국 프로젝트가 용두사미로 끝난 적이 있다. 당시 나중에는 정말 좋은 기회를 만나서 잘 되려나 보다 하고 마음먹기 쉽지 않았다. 노력이 꼭 좋은 결과로 이어지지 않는다는 것을 배웠다.

"괜찮아질 거야. 좋아질 거야."보다 "액땜한다고 생각해."라는 말이 더 위로되었다.

6부

기분 좋은 긴장감

시작을 가로막는 것

나는 대부분의 경우 주저 없이 도전한다. 특히 스무 살 때는 도전에 망설임이 없었다. 그러나 해가 지날수록 살짝씩 주저함이 느껴졌다. 사람들은 "아직 너무 어려"라고만 했다. 머리로는 알겠는데 마음으로는 장벽이 생겼다. 그렇다고 아직 모든 일에 부정적인 결과부터 생각하는 건 아니다. 도전 기회가 생겼을 때, '혹시 잘 되지 않을까'하는 희망이 더 크다. 너무 긍정적이지도 너무 부정적이지도 않게 매사 현실적으로 판단하는 것이 참 어렵다. 현실이 냉정하고 쓰라리단 것을 점점 알게 될수록 어찌 부정적인 생각부터 떠오르지 않을 수 있을까 싶다. 그런데도 한다. 슬며시 미소를 머금을 수 있는 여유를 가져본다.

열정적이다

열정. 누군가가 나를 봤을 때 떠올릴 수 있는 단어이
길 바란다. 내 노래가 더 많은 사람에게 들려지길 진심
으로 바란다. 하지만 열정이 너무 뜨거워 나 자신이 불
태워지지 않기를 바란다. 내 안에서만 피어나는 열정이
아니라 사람들과 함께 나눌 수 있는 에너지이기를 바
란다. 나아가 각자 품고 있던 불씨에 살포시 불을 붙여
주는 존재가 되길 바란다.

꿈과 목표

스무 살 때 세워둔 버킷리스트를 보면 스스로 이룰 수 없는 일들이 많다. '기획사 들어가기', '드라마 OST 발매하기', '좋아하는 가수와 콜라보하기' 등 누군가의 선택을 받아야만 가능하다. '오디션 합격하기'는 목표가 아니라 '꿈'이다. 목표는 '오디션 두 번 이상 지원하기'가 되어야 한다. 목표가 산 정상에 오르는 것이라면 꿈은 산에서 사슴 만나기와 같달까.

도전

"갑자기?"라는 말이 나올 정도로 관심사가 자주 바뀌고 여러 가지 일을 시도한다. 그래서 사람들은 내가 새로운 도전하기 좋아하고 두려움이 없을 것 같다고 오해하기 쉽다. 하지만 생각해 보면 나의 도전은 대부분 같은 분야 안에서 확장한 경우가 많다. 영어, 일본어, 중국어 회화를 하는 내가 스페인어, 프랑스어를 시작한 것을 새로운 도전이라고 볼 수 있을까. 또 피아노를 오랜 시간 연주해 왔기에 기타, 드럼과 같은 악기를 배울 때 분명 수월했던 점이 있었다.

작년의 내가 상상도 하지 못했던 일 하기. 이것은 나의 매년 새해 목표다.

계단과 에스컬레이터

성공을 향해 에스컬레이터를 타고 멈추지 않고 쭉쭉 올라가는 내 모습을 기대했던 걸까. 제자리걸음을 하는 기분이 들었지만, 알고 보니 나는 계단으로 올라가고 있었다. 그러니 힘들 땐 잠시 멈춰서 주위를 둘러봐도 된다. 조금 느려도 내 선택을 온전히 느끼며 걸어가겠다.

기분 좋은 긴장감

기분 좋은 긴장감을 좋아한다. 누군가에겐 긴장감이라 하면 극도의 피로감이 떠오를지도 모르겠다. 긴장을 즐긴다는 것이 말이 안 된다고 절박함이 없는 것이 아니냐고 할 수도 있다. 사실 그럴지도 모른다. 이 한 번의 시험에서 떨어지면 향후 몇 년 인생이 완전히 바뀌는 시험은 아직 본 적이 없다. 그래서 감히 "여러분 긴장감을 즐기셔야 합니다!"라고 외칠 생각은 없다.

한 번 실패하면 다음에 또 시도하면 되는 일에는 기분 좋은 긴장감을 즐길 수 있다. 기분 좋은 긴장감은 말 그대로 기분을 좋아지게 해준다.

엘리베이터

아파트 엘리베이터를 타고 목표 층에 도착할 무렵 띠리릭 현관문이 열리는 소리가 들린다. 그러자 내 입가에도 벌써 미소가 번진다. 엘리베이터 문이 열리니 어쩌면 친구랑 노는 것만큼 나를 반가워하는 아이가 나를 기다리고 있다.

행복과 기쁨을 주고받는 시간이다. 그렇게 엘리베이터에서부터 오늘은 어떤 만남의 시간이 될까 설레는 긴장감과 함께한다.

풍선

나는 한 가지 일에 꽂히면 주위를 잘 둘러보지 않는다. 단점으로는 그 몰입으로 인해 현실적인 판단력이 흐려질 때도 있고 너무 열심히 하다가 크게 좌절할 때도 있다. 하지만 장점은 뜻한 바를 어떻게든 해내는 일이 많다.

비유하자면 나는 풍선을 불어도 제일 크게 불려고 하다가 터트리는 사람이었다. 그런데 터지지 않게 조절할 수만 있다면 누구보다 큰 풍선을 불 수 있다. 안정적인 목표만 추구하는 사람들보다 더 많은 꿈을 이룰 수 있다.

풍선을 계속 불면 '펑'하고 언젠가 터진다. 그동안의 경험은 할 수 있는 것과 할 수 없는 것을 어느 정도 구별할 수 있게 해주었다. 앞으로 나는 터트리지 않고 커다란 풍선을 불 줄 아는 사람이 될 거다. 때론 풍선을 터트리더라도 푸하하 웃을 수 있는 사람이 되겠다.

마음을 나누는 것

뮤지션으로서 현재 내게 가장 중요한 것은 무대에 많이 서는 것이다. 동시에 의미 있는 무대에 자주 서는 것이 중요하다. 무대의 크고 작음은 중요하지 않다. 내가 어떤 의미를 두는지가 중요하다.

어떤 것이 나를 계속 무대에 서게 할까. 모든 노래, 모든 무대가 나를 설레게 하는 것은 아니지만 이따금 강렬하게 몰입하여 전율이 오르는 경험을 한다. 하지만 그런 경험만 목적으로 하는 것이 아니다. 무대에 서면 내 이야기가 담긴 노래를 함으로써 사람들과 감정을 교류할 수 있다. 타고난 성향이 사람들과 마음을 나누길 좋아하는데 음악이 그 훌륭한 매개가 되어주었다.

나는 사람들과 감정을 나누는 뮤지션인 것에 가치를 둔다. 나라는 뮤지션이 밝고, 감성적이고, 때론 웃긴 아티스트로 비쳤으면 좋겠다. 이는 나라는 사람도 마찬가지다. 많은 사람에게 좋은 영향을 끼치고 싶다는 나의 비전이, 무대를 통해서 계속 한 발 한 발 나아가길 소망한다.

세상은 내 음악을 필요로 하는가

세상이 내 음악을 필요로 하지 않으면 그건 자기만족이자 취미가 된다. 음악을 직업으로서 한다는 건, 내 음악을 필요로 하는 사람들을 위함이다.

내 음악에 위로받는 사람들이 있을 거라는 믿음으로 노래하고 있다. 그렇기 때문에 기꺼이 나의 아픔을, 슬픔을, 고통을 드러낸다. 지금 느끼는 감정이 틀리지 않았다고 이야기해 주고 싶다. 슬퍼도 왜 슬프냐고 스스로 다그칠 때, 이런 건 힘들 가치가 없다고 스스로 나무랄 때, 내 안에서 고통은 더 커져만 갔고 이를 바탕으로 곡을 쓰게 되었다.

사람들이 내 음악을 통해 바깥세상에서 느끼지 못한 내면의 따스함을 느꼈으면 좋겠다. 그러기 위해서 나 자신도 노력하고 있다. 사람들을 위로하려면 나 자신부터 위로할 줄 알아야 한다. 또한 주변 사람들의 마음에 공감하고 따뜻한 말을 건네는 사람이 되기 위해서도 노력한다.

내 음악을 듣는 모든 이들의 오늘 하루가 진정 안녕하길 바란다.

아무리 생각해도

아무리 생각해도 잃은 것보다 얻은 것이 훨씬 더 많다. 그러나 사람 마음이 그렇게 계산대로 되지는 않는다.

아무리 생각해도 내가 잘못한 것보다 잘한 것이 훨씬 더 많다. 그러나 때론 작은 후회가 마음을 쿡쿡 찌르기도 한다.

아무리 생각해도 계속 제자리라면 아무 생각도 하지 않고 체력을 비축해 두는 게 어떨까 한다. 곧 마라톤을 달려야 하는데 내내 제자리 뛰기를 하고 있으면 힘들다.

아무리 생각해도 어제보다 오늘의 내가 더 멋지다. 더 강하고 더 똑똑하고 더 대단하다.

여러분의 일상에

무료함 대신 유쾌함이

지루함 대신 설렘이 가득하시길 바랍니다.